# HENRI CARTIER-BRESSON

# Henri Cartier-Bresson

Introduction par Jean Clair

NATHAN

COLLECTION PHOTO POCHE

*La collection Photo Poche a été publiée
de 1982 à 1996 par le Centre National de la Photographie
avec le concours du Ministère de la Culture.
Robert Delpire qui l'a créée en assure la direction.*

Légende de la couverture :
Salerne, Italie, 1953

© 1998. Editions Nathan, Paris
© pour les photographies Henri Cartier-Bresson
Tous droits réservés pour tous pays
ISBN : 209-754 010-4

Neuvième édition réalisée avec la collaboration de Idéodis Création,
achevée d'imprimer en mai 1998 sur les presses de Mame à Tours

Imprimé en France / Printed in France

# INTRODUCTION
## A UNE PETITE
## METAPHYSIQUE DE LA PHOTO
## A PROPOS DE L'ŒUVRE
## D'HENRI CARTIER-BRESSON

Baudelaire, décrivant le peintre de la vie moderne : "Ainsi il va, il court, il cherche. Que cherche-t-il ? A coup sûr, cet homme, ce solitaire doué d'une imagination active, toujours voyageant à travers *le grand désert d'hommes,* a un but plus élevé que celui d'un pur flâneur, un but plus général, autre que le plaisir fugitif de la circonstance. Il cherche ce quelque chose qu'on nous permettra d'appeler la *modernité*". Et, plus loin, analysant ce sentiment nouveau de la modernité : "C'est le transitoire, le fugitif, le contingent, la moitié de l'art, dont l'autre moitié est l'éternel et l'immuable..."

Plus que de C.G., ce piètre dessinateur-reporter, comment ne pas voir dans ces lignes la description prémonitoire de la figure et du projet d'Henri Cartier-Bresson, aujourd'hui, cet autre voyageur *du grand désert d'hommes,* toujours en quête du bel hasard de l'instant ("involontaire") qui lui permettra d'atteindre à la nécessité immuable ("éternelle") de l'œuvre ? Or Baudelaire écrivait ces lignes dans le temps où il condamnait, dans les termes que l'on sait, l'art de la photographie – qu'on eût cru cependant propice à incarner l'idée qu'il se faisait de la modernité. La contradiction vaut qu'on s'y arrête.

Que craignait-il de la photo ? Qu'elle ne vînt profaner l'art. Que, technique simple dont il prévoyait l'utilisation de masse, elle n'en vînt à empiéter sur l'art, non pour le supplanter mais pour le réduire et, plus précisément, pour le ramener à sa première moitié – tout occupée de capter "le transitoire, le fugitif, le contingent" – en oubliant l'autre, qui est pourtant la seule, dit-il, grâce à laquelle elle peut accéder à la dignité des arts anciens, à toute époque : cet "éternel" et cet "immuable" qui, précise encore Baudelaire, sont cette beauté *mystérieuse* qui se trouve dans la vie *involontairement.*

Cent trente ans après, on pourrait avancer en effet qu'il existe de la photo un usage conforme à ce que Baudelaire redoutait et que, devenu celui du grand nombre, on pourrait appeler un usage *rituel.* Mais il est non moins vrai qu'il en existe aussi, à de rares moments,

– à redonner au mot son sens premier – un usage qu'on pourrait dire *religieux,* privilège de quelques-uns et dont Cartier-Bresson offre un exemple.

Ainsi, les Japonais qui entretiennent avec l'appareil photo un lien continu, étroit et quasi organique, me paraissent obéir sans le savoir à un rituel guère différent de celui qu'accomplissaient leurs ancêtres dans leur culte des morts. Comme des moines occupés à tourner leur moulin à prières, "mitrailler" sans relâche et quasiment sans regarder, c'est garantir que les apparences du monde seront à tout instant soutenues et comme sauvées par cet enregistrement rotatif. Armés de leur appareil en plastron comme Athéna de son égide, ils médusent moins le monde qu'ils ne s'accordent, par la giration monotone et indifférente du film, à cette autre giration, aveugle et infinie qui, substituant aux accidents d'une vie ceux de son propre avatar, est celle du *samsâra.*

La photo qui nous livre l'aspect des choses comme si elles avaient disparu et des êtres comme s'ils étaient morts, est la meilleure approche qu'on puisse imaginer du voile de Maya. Et elle n'est jamais aussi pénétrée de ce sens funèbre ou mortifiant que le bouddhisme enseigne que lorsqu'elle est, comme dans cet usage rituel, photo de circonstance ou, comme on dit, d'amateur : Gotama eût aussi quitté son palais si la photographie avait existé à son époque et qu'on lui eût sur épreuves, montré l'illusion qu'était la vie. Loin d'être des titres de possession du monde, ces assignats de papier glacé en sont plutôt, gris bordés de noir, les faire-part de deuil ; ils disent à nos yeux, clairement, que ce monde-ci *n'a jamais eu lieu.* Et, sans doute, le flot continu d'images auquel la photographie de nos jours nous soumet a sur notre conscience le même effet décapant – sain mais corrosif, à la façon d'un alcali sur la peau – que la croyance indienne : il mène à la même indifférence et peut-être, au bout du compte à la même dureté. Ce tournoiement dans le vide des tambours dont on a oublié le mystère des formules est traversé du souffle de l'absurde.

Or, c'est contre cet usage machinal et sournoisement funèbre de l'industrie photographique que la photo comme art se dresse, qui rétablit le lien entre le monde extérieur et nous et qui, comme tout autre art, ne se propose pas de conjurer la mort mais au contraire d'en désigner la présence au cœur de la vie comme ce qui lui donne sens.

Bouddhiste aussi, si l'on veut – il ressemble à un vieux sage chinois et ses pas l'ont souvent conduit vers l'Orient – Cartier-Bresson le serait, mais à la façon, comme on l'a dit, du tireur zen, qui, par une sorte de sens suprême, vise les yeux fermés, à l'instant où le fortuit rencontre le but. Cette rencontre du hasard et de la nécessité dont mieux que personne il appréhende le déclic, témoigne d'une attitude face au réel guère différente de celle qu'assume le peintre. Car la photo de circonstance, le document, le cliché machinal ne nous mettent jamais qu'en face d'un "cela a été", qui ratifie le sentiment d'une perte ou d'une duperie, alors que la photo du "photographe" nous insinue en revanche un "cela était" et même un "c'était cela, c'était donc cela" qui, un moment, diffuse en nous un sentiment proche de l'apaisement et de la satisfaction que procure l'œuvre d'art. Ingres et Degas ne s'y trompaient pas qui s'émerveillèrent du pouvoir de la photo de désigner instantanément, dans le déclic d'un regard, l'unique de notre présence au monde. Cette transparence quasi miraculeuse d'une technique à son objet, qui lui permet, de façon immédiate, d'inscrire le *hic et nunc* de la réalité, est sans doute ce qui la menace sans cesse par son trop d'aisance – elle est aussi ce qui lui confère son prix quand la présence nous est redonnée d'un geste léger et inoubliable.

Je songe ici à ces photos d'Henri Cartier-Bresson, comme de l'homme qui enjambe une flaque, place de l'Europe, ou de ces femmes japonaises pleurant un acteur de Kabuki, ou encore de ce vieux peintre solitaire assis sur le lit de son atelier : un même monde s'y dessine sous la diversité des sujets, et de ce monde une même qualité quels que soient la circonstance et le lieu, quelque chose qu'on pourrait dire sa faiblesse ou sa tendresse : l'instant où sa dureté accoutumée cède sous la poussée du doigt, l'instant où il se départit de son mutisme, se laisse investir par quelque faille secrète et paraît livrer un sens.

Feuilletant ces photos qui s'échelonnent sur plus d'un demi-siècle et plus d'un continent, je suis frappé de constater à quel point leur auteur n'a jamais fait que prendre le même cliché, comme on dit d'un grand peintre qu'il n'a jamais fait que peindre le même tableau. Ou, plus exactement, à quel point c'est la même photo que, dans l'étendue planétaire, Cartier-Bresson a toujours poursuivie, comme un peintre, dans le confinement de l'atelier, ne fait jamais que poursuivre la même œuvre. Tout était déjà là, en un sens, dès cette première photo de 1932, comme on peut dire, par exemple, de tel dessin de Giacometti, de la même époque, qu'il contenait déjà l'œuvre future – comme si toute l'existence allait se poursuivre à tenter de retrouver cette émotion où la singularité d'un regard s'était soudain, et comme par hasard, reconnue dans la configuration extérieure et aléatoire d'un certain aspect du monde. *Pareille connivence d'une disposition immuable de l'esprit et d'une disposition transitoire des choses signifiant moins la dispersion d'un moi dans le monde extérieur que la focalisation du monde extérieur dans le moi.*

Hasard objectif ? A quoi appliquer ce beau terme de Breton mieux qu'à la photographie qui, par son objectif, traquerait ce bel hasard des jours ? Je ne crois pas pourtant qu'il s'agisse de cela. Le photographe n'est pas un médium qui chercherait dans les combinaisons du visible le chiffre de quelque surréalité. Ce qui donne à une photo son aura et la distingue du simple document vient d'abord sans doute que l'intention de son auteur n'y est jamais marquée. Comme en poésie, il faut que rien en elle "ne pèse ni ne pose" – ce dernier terme prenant ici tout son sens. Rien donc de prémédité, de composé, moins encore de *prévu*.

Photographe serait donc celui qui, à travers les milliers de sujets proposés à sa curiosité, se glisse avec un instinct sûr "entre les actes", pour reprendre l'expression de Virginia Woolf : assez délié, assez léger, assez subtil pour éviter les lieux, les moments ou les circonstances où la vie se condense ou se noue de manière trop forte ou trop évidente. De pareilles prises, il ne retirerait jamais qu'un fragment d'histoire, qu'une pièce d'archive, qu'un échantillon de mode ou qu'un exemple d'anecdote. Ce qu'il vise, c'est le commun des jours, l'étale de la vie, non ce qui se distingue mais ce qui se ressemble. Poète de l'identique, non du différent. Des couples qui dansent, un groupe de séminaristes, un enfant qui sourit en portant des bouteilles, des gens qui dorment, qui prient, qui songent, qui rêvent – qui rêvent surtout –, l'univers de Cartier-Bresson est empli de rêveurs, saisis dans cet état passager de vacance où ils se livrent mieux et comme désarmés ; glanées dans l'étendue planétaire, ces images qu'un détail localise et date précisément – une boîte à lettre, une enseigne, une inscription, un uniforme –, ont toutes la même saveur singulière de quotidien, comme aux yeux de Giacometti, dans la retraite exiguë de l'atelier, une chaise, une suspension, une pomme sur une table, un homme debout ou un visage, le même.

La question serait alors : d'où vient, dans cet identique, son goût de singulier ? Walter Benjamin avait un jour comparé la photographie à la psychanalyse. Elle nous renseigne, disait-il, sur l'inconscient de la vue comme la doctrine freudienne sur l'inconscient des pulsions. Sa remarque visait un problème d'ordre physique. L'instantané nous dévoile un aspect de la réalité que consciemment et pour ainsi dire physiologiquement, nous n'avons jamais vu.

Mais la possibilité technique de découper *ad infinitum* le mouvement dans le temps nous introduit aussi à une rêverie d'ordre métaphysique. *Où et quand,* exactement, le monde se saisit-il ? On a pu réfuter les arguments de Zénon, mais on ne réfute pas une rêverie à laquelle la photographie a aujourd'hui donné corps.

Dans le tissu des apparences, existe-t-il donc des discontinuités infimes par lesquelles, "entre les actes", l'œil du photographe se glisse et croit découvrir un sens ? Existe-t-il des moments où une combinaison d'éléments se met soudain en place qui paraît relever d'un ordre intelligible ? Ce peuvent être la rencontre de quelques traits dominants dans une configuration aléatoire, le croisement d'un promeneur et d'un objet inanimé, ou simplement l'arrangement passager d'une ombre et d'une plage de lumière.

Pareille métaphysique postulerait que le monde visible recèle un sens là même où nos yeux n'en distinguent rien. Et, s'il y a un sens des pulsions comme la psychanalyse nous l'enseigne, il y a donc aussi dans cet "inconscient de la vue" que révèle la photo, un continent à découvrir. Et le photographe avisé serait celui qui, comme l'analyste averti, use de cette "attention flottante" que Freud recommandait à ses disciples.

De ce qui se présente à son regard, il ne doit rien privilégier a priori, des causes et des effets du monde visible, laisser le libre enchaînement, mettre entre parenthèses son propre goût, son propre jugement, ne rien "focaliser". C'est alors qu'il pourra prélever dans le réel – sans l'avoir altéré –, ce qui en apparence insignifiant, se révèlera après coup le plus riche de significations. (Michel Leiris rapprocha naguère plaisamment la démarche de Sigmund Freud de celle de Nick Carter "dont la chasse au mystère prend pour base quelques indices infimes". Nul hasard qu'inaugurée en ces années où l'on publiait les travaux de l'un et les aventures de l'autre, la démarche de Cartier-Bresson s'inscrivît sous leur double signe – elle qui, par ailleurs se souvenait de l'exemple d'un prestigieux, aventurier bien réel, Henri de Monfreid. Mais c'était moins l'étonnant qu'il s'agirait de traquer à l'autre bout du monde que le menu fait à partir duquel cristalliser une magie).

Et, de fait, la première fois que j'ai rencontré Henri Cartier-Bresson, j'ai été frappé par ce regard bleu, transparent et vague qui flottait sans pesanteur sur tout ce qui l'entourait, semblait ne rien privilégier, mais demeurait cependant perpétuellement aux aguets.

Car, sans doute, est-ce au prix de cette continue disponibilité du regard qu'une complicité s'établira entre le monde et lui, une conjonction, une conjuration même dont le ressort est d'ordre en effet métaphysique.

Bien des termes utilisés par la photographie – la chambre *noire,* la plaque *sensible,* le bain *révélateur* – relèvent du vocabulaire de la magie. Mais ils désignent bien autre chose qu'un merveilleux technologique. La pellicule ultra-sensible n'est qu'une prouesse aussi longtemps que ne lui donne sa signification un œil doué à son tour d'hypersensibilité – ou de ce que Cartier-Bresson lui-même nomme volontiers un caractère "nerveux", usant en cela curieusement du même terme dont use Francis Bacon quand on lui demandait d'expliquer sa peinture. Et qu'au moment de presser le déclencheur, le photographe retienne son souffle, alors que le sujet photographié en revanche, rend l'âme – du moins selon la croyance des primitifs qui se refusent à se laisser "prendre" – pareil phénomène d'aspiration ou de capture montre assez que les transferts d'énergie qui s'opèrent ici sous l'apparente banalité d'un mécanisme sont aussi mystérieux que de voir sur un film au ralenti, la main d'Henri Matisse déposer sur la toile, du bout de son pinceau, la substance de son tableau. De multiples synesthésies s'opèrent ainsi non seulement entre le regard, l'esprit et la main mais aussi entre eux et les organes de l'appareil. Et la *camera oscura* elle-même, autant que de la lumière du jour, s'illumine de la clarté de cette *camera lucida* qu'est l'œil.

En soi, la photo ne serait jamais que la capture par des sels d'argent de grains de lumière dont un objet a été bombardé, la trace du déplacement d'une matière, infiniment subtile mais réelle, une sorte de métaphore optique. Quel lien entretient donc le photographe avec la nature de la lumière, qui permet d'anticiper son cours ? A lui dont tout l'organisme est mobilisé à la pointe de l'œil, quel est ce don, non de prémonition mais de voyance, dont les Anciens créditaient volontiers les aveugles ? Dans ces zones où les extrêmes se rejoignent, serait-il d'effleurer le visible du bout du regard comme l'aveugle le réel du bout des doigts afin d'y découvrir ces points de moindre résistance par où sourd sa signification ? Quand Cartier-Bresson parle de "s'oublier pour être présent" ou de "ne pas penser pour que ça marche", il énonce, dans le vocabulaire négatif d'une mystique, les impératifs d'une démarche qui, curieusement, s'en rapproche en opérant la conjonction des contraires : l'état particulier où l'attention vague se fait lucidité aiguë, – mais aussi bien ouverture à la ténèbre, et le frôlement le plus léger la coïncidence avec le cœur des choses. Etrange faculté en vérité – étendue jusque dans ces photos troublantes de Gandhi et de Claudel où s'inscrivait déjà leur mort – qui fait que le photographe traverse à des moments précis le flot des apparences pour rejoindre l'autre moitié de l'art, son noyau *éternel* et *immuable*.

Alors le rideau de l'objectif se lève sur des obscurités plus profondes que ce que nous pouvons imaginer.

Jean Clair.

## L'IMAGINAIRE D'APRES NATURE

L'appareil photographique est pour moi un carnet
de croquis, l'instrument de l'intuition et de la spontanéité,
le maître de l'instant qui, en termes visuels,
questionne et décide à la fois. Pour "signifier" le monde,
il faut se sentir impliqué dans ce que l'on découpe
à travers le viseur. Cette attitude exige de la concentration,
de la sensibilité, un sens de la géométrie. C'est par
une économie de moyens et surtout un oubli de soi-même
que l'on arrive à la simplicité d'expression.

Photographier : c'est retenir son souffle quand toutes
nos facultés convergent pour capter la réalité fuyante ;
c'est alors que la saisie d'une image
est une grande joie physique et intellectuelle.

Photographier : c'est dans un même instant
et en une fraction de seconde reconnaître un fait et
l'organisation rigoureuse des formes perçues visuellement
qui expriment et signifient ce fait.

C'est mettre sur la même ligne de mire la tête, l'œil
et le cœur. C'est une façon de vivre.

H.C-B.

3. Sienne, Italie, 1933.

4. Quai de Javel, Paris, 1932.

5. Derrière la gare Saint-Lazare, Paris, 1932.

6. Marseille, France, 1932.

7. Irène et Frédéric Joliot-Curie, Paris, 1945.

8. Valence, Espagne, 1933.

9. Bruxelles, 1932.

10. Madrid, 1933.

11. Barrio Chino, Barcelone, Espagne, 1933.

12. Séville, Espagne, 1933.

13. Trieste, Italie, 1933.

14. Arènes de Valence, Espagne, 1933.

15. Tivoli, Italie, 1933.

16. Cordoue, Espagne, 1933.

17. Alicante, Espagne, 1932.

18. Séville, Espagne, 1932.

19. Castille, Espagne, 1953.

20. Henri Matisse, Vence, France, 1944.

22. Palais Royal, Paris. 1960.

23. Hyde Park, Londres, 1938.

24. Down Town, New York, 1947.

25. Hyères, France, 1932.

26. Alberto Giacometti, 1961.

27. Sur les bords de la Marne, France, 1938.

28. Rue Mouffetard, Paris, 1954.

29. Brie, France, Juin 1968.

30. Cantine des ouvriers. Hôtel Métropol, Moscou, 1954.

31. Roumanie, 1975.

32. Irkoutsk, Sibérie, U.R.S.S., 1972.

33. Forteresse Pierre et Paul, Léningrad, U.R.S.S., 1973.

34. Hudson et Manhattan, New York, 1946.

35. Nouvelle-Angleterre, U.S.A., 1947.

36. Trafalgar Square le jour du couronnement de George VI, Londres, 1938.

37. Le Cardinal Pacelli à Montmartre, Paris, 1938.

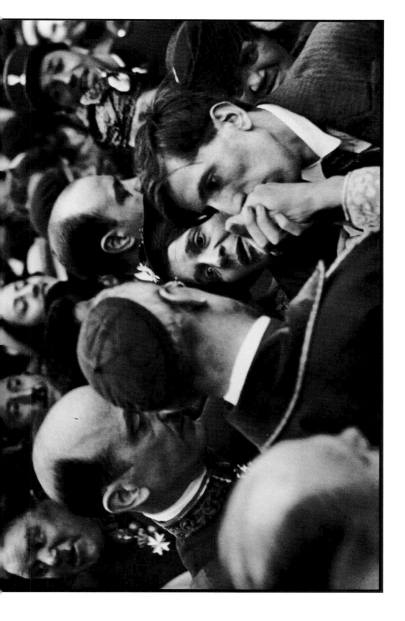

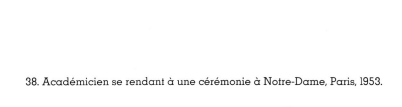

38. Académicien se rendant à une cérémonie à Notre-Dame, Paris, 1953.

39. Vente d'or dans les derniers jours du Kuomintang, Chine, 1949.

40. Derniers jours du Kuomintang, Pékin, 1949.

41. Fête d'anniversaire du Maharajah de Baroda, Inde, 1947.

42. Gymnastique dans un camp de réfugiés à Kurukshetra, Inde, 1948.

43. Inde, 1947.

44. Srinagar, Cachemire, 1948.

45. Ahmedabad, Inde, 1965.

46. Athènes, 1953.

47. Sifnos, Grèce, 1961.

48. Aquila degli Abruzzi, Italie, 1952.

49. Mexico, 1964.

50. Arizona, 1947.

51. Tennessee, U.S.A., 1947.

52. Irlande, 1963.

53. Tralee, Irlande, 1963.

54. Suisse, 1991.

55. Hollande, 1953.

56. Nouvelle-Orléans, U.S.A., 1947.

57. Mexico, 1934.

58. Mexico, 1934.

59. Calle Cauhtemocztin, Mexico, 1934.

60. Volcan Popocatepetl, Mexique, 1964.

61. Funérailles d'un acteur de Kabuki, Japon, 1965.

62. Hongrie, 1965.

63. Cachot d'une prison modèle, U.S.A., 1975.

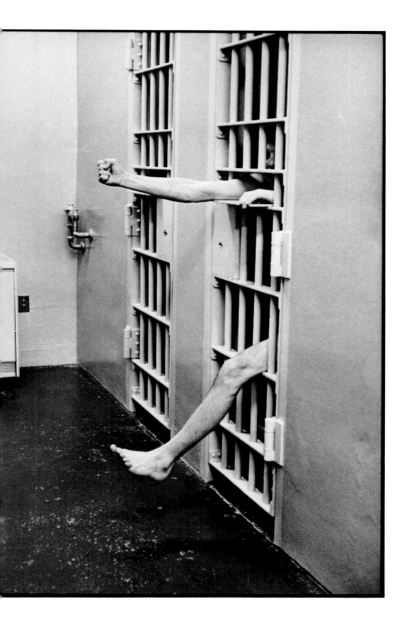

# BIOGRAPHIE

**1908.** Né le 22 août à Chanteloup, Seine-et-Marne. Etudes secondaires au lycée Condorcet, pas de diplômes.

**1923.** Il se passionne pour la peinture et l'attitude des surréalistes.

**1927-28.** Il étudie la peinture chez André Lhote.

**1931.** Parti à l'aventure en Côte-d'Ivoire, il y reste un an. De retour en Europe, il prend ses premières photographies.

**1932.** Expose à la galerie Julien Levy de New York. Ses photographies sont ensuite présentées par Ignacio Sanchez Mejias et Guillermo de Torre au Club Atheneo à Madrid. Charles Peignot le publie également dans *Arts et Métiers graphiques*.

**1934.** Il part un an au Mexique avec une expédition ethnographique. Il expose ses photographies au Palacio de Bellas Artes.

**1935.** Il vit aux Etats-Unis sans photographier et s'initie au cinéma avec Paul Strand.

**1936-39.** Il est second assistant de Jean Renoir à la mise en scène avec Jacques Becker et André Zvoboda.

**1937.** Il réalise un documentaire sur les hôpitaux de l'Espagne républicaine : "Victoire de la vie".

**1940.** Fait prisonnier par les Allemands, il réussit à s'évader après deux tentatives infructueuses, en février 1943.

**1943.** Il participe au MNPGD, mouvement clandestin d'aide aux prisonniers et évadés. Pour les éditions Braun, il réalise des portraits d'artistes et d'écrivains (Matisse, Bonnard, Braque, Rouault, Claudel...).

**1944-45.** Il s'associe à un groupe de professionnels qui photographient la Libération de Paris. Il réalise "Le Retour", documentaire sur le rapatriement des prisonniers de guerre et des déportés.

**1946.** Il passe plus d'un an aux Etats-Unis pour compléter une exposition "posthume" dont le Museum of Modern Art de New York avait pris l'initiative en le croyant disparu pendant la guerre.

**1947.** Il fonde avec Robert Capa, David Seymour et George Rodger l'agence coopérative Magnum.

**1948-49-50.** Il passe trois ans en Orient, en Inde à la mort de Ghandi, en Chine (pendant les six derniers mois du Kuomintang et les six premiers de la République Populaire de Chine) et en Indonésie au moment où elle devient indépendante.

**1952-53.** Il vit en Europe.

**1954.** Il est le premier photographe admis en U.R.S.S. après la détente.

**1958-59.** Il retourne en Chine pour trois mois à l'occasion du dixième anniversaire de la République Populaire.

**1960.** De Cuba où il fait un reportage, il retourne, après trente ans, au Mexique et y reste quatre mois. Il séjourne ensuite au Canada.

**1965.** Il vit six mois en Inde et trois au Japon.

**1966.** Il se sépare de Magnum qui conserve néanmoins l'exploitation de ses archives. Comme auparavant, ses photographies sont tirées chez Pictorial Service à Paris.

**1967.** Commande d'IBM pour une étude sur "L'Homme et la Machine".

**1969.** Pendant un an, il prépare une exposition qui se tiendra au Grand Palais en 1970 : "En France" ; il réalise aux U.S.A. deux documentaires pour CBS News.

**1981.** Grand Prix National de la Photographie, décerné par le ministère de la Culture, Paris.

**1986.** Il reçoit des mains de Jorge Luis Borges le prix Novecento, à Palerme.

**Depuis 1974.** Il se consacre au dessin.

**Collections publiques (400 photos).**
Bibliothèque Nationale, Paris.
Fondation Demenil, Houston, Texas.
Victoria and Albert Museum, Londres.
University of Fine Arts, Osaka, Japon.

## BIBLIOGRAPHIE SOMMAIRE

**1947.** *The Photographs* of *Henri Cartier-Bresson*. Monographie, Museum of Modern Art de New York.

**1952.** *Images à la sauvette*. Textes et photographies d'Henri Cartier-Bresson. Couverture de Matisse. Conçu par Tériade aux Editions Verve, Paris. Edition américaine : *The Decisive Moment*, Simon & Schuster, New York.

**1954.** *Les Danses à Bali*. Texte d'Antonin Artaud sur le théâtre balinais et commentaires de Béryl de Zoete. Delpire Editeur, Paris. *D'une Chine à l'autre*. Préface de Jean-Paul Sartre. Delpire Editeur, Paris.

**1955.** *Les Européens*. Photographies et introduction d'Henri Cartier-Bresson. Couverture de Juan Miró, Editions Verve, Paris. *Moscou, vu par Henri Cartier-Bresson*. Delpire Editeur, Paris.

**1958.** *Henri Cartier-Bresson : Fotografie*. Texte d'Anna Farova. Photographies d'Henri Cartier-Bresson. Publié à Prague et à Bratislava.

**1963.** *Photographies* d'*Henri Cartier-Bresson*. Delpire Editeur, Paris. Editions américaine, anglaise, japonaise et suisse.

**1964.** *China*. Photographies et notes sur quinze mois passés en Chine. Rédaction anglaise par Barbara Miller, Bantam Books, New York.

**1966.** *The Galveston That Was*. Texte de Howard Barnstone. Photographies d'Ezra Stoller et Henri Cartier-Bresson. Macmillan Company, New York et The Museum of Fine Arts, Houston.

**1968.** *Flagrants Délits*. Delpire Editeur, Paris. Editions américaine, allemande et suisse.

*Impression de Turquie*. Pour le bureau de tourisme et d'information de Turquie, avec une introduction d'Alain Robbe-Grillet.

**1969.** *L'Homme et la Machine*. Photographies d'Henri Cartier-Bresson (commande d'IBM), précédées d'une introduction d'Etiemble, Editions du Chêne, Paris. Editions américaine, anglaise, italienne et espagnole.

**1970.** *Vive la France*. Texte de François Nourissier. Photographies d'Henri Cartier-Bresson. Publié par Sélection du Reader's Digest, Robert Laffont, Paris. Editions américaine, anglaise et allemande.

**1972.** *The Face of Asia*. Introduction de Robert Shaplen. A été publié par John Weatherhill (New York et Tokyo) et Orientations Ltd. (Hong Kong). Edition française : *Visage d'Asie*, Editions du Chêne, Paris.

**1973.** *A propos de l'U.R.S.S.* Editions du Chêne, Paris. Editions américaine, anglaise, allemande et suisse. *The Decisive Moment. Henri Cartier-Bresson*. Matériel d'enseignement audiovisuel publié dans la collection "Images of Man" éditée par Scholastic Magazines Inc., New York.

**1976.** *Henri Cartier-Bresson*. Textes d'Henri Cartier-Bresson. History of Photography Series. Aperture, Millerton, New York. Edition française : Delpire Editeur/Nouvel Observateur, Paris. Editions anglaise, allemande, japonaise et en version révisée américaine (1987) et italienne (1988).

**1979.** *Henri Cartier-Bresson Photographe*. Textes d'Yves Bonnefoy. Delpire Editeur, Paris. Editions américaine, anglaise, allemande et japonaise.

**1983.** *Henri Cartier-Bresson. Ritratti*. Textes d'André Pieyre de Mandiargues et Ferdinando Scianna. Coll. "I Grandi Fotografi". Gruppo Editoriale Fabbri, Milan. Editions anglaise et espagnole.

**1985.** *Henri Cartier-Bresson en Inde*. Introduction de Satyajit Ray, photographies et notes d'Henri Cartier- Bresson, texte d'Yves Véquaud, Centre National de la Photographie, Paris. Edition anglaise :

Londres, Thames and Hudson.
Edition indienne. *Photoportraits*.
Texte d'André Pieyre de Mandiargues,
Editions Gallimard, Paris.

**1987.** *Henri Cartier-Bresson. The Early
Work.* Texte de Peter Galassi,
Museum of Modern Art, New York,
Thames and Hudson, Londres.

**1989.** *L'autre Chine.* Introduction de
Robert Guillain. Collection Photo Notes.
Centre National de la Photographie,
Paris.*Trait pour Trait (Dessins).*
Les dessins d'Henri Cartier-Bresson.
Introduction de Jean Clair et John Russel.
Editions Arthaud, Paris (9 illustrations
couleurs, 56 illustrations monochromes).
Editions anglaise : Thames and Hudson,
Londres et allemande :
Schirmer/Mosel, Munich.

**1991.** *L'Amérique Furtivement.*
Préface de Gilles Mora. Mis en forme
par Robert Delpire. Editions du Seuil,
Paris. Editions américaine, anglaise,
allemande, italienne, portugaise
et danoise.

*Henri Cartier-Bresson : Premières
photos : De l'objectif hasardeux au
hasard objectif.* Texte de Peter Galassi.
Traduit de l'anglais par Pierre Leyris.
Arthaud, Paris. (Editions française
de *The Early Work.* Révisions dans
cette édition).

*Alberto Giacometti photographié par
Henri Cartier-Bresson.* Textes
d'Henri Cartier-Bresson et Louis Clayeux.
Franco Sciardelli, Milan. (Collection
dirigée par Ferdinando Scianna).

**1994.** *Paris à vue d'oeil.* Editions
du Seuil, Paris. Textes de Véra Feyder
et André Pieyre de Mandiargues.
Editions allemande, anglaise,
américaine et japonaise. *Double regard.*
(Dessins et photos). Texte de
Jean Leymarie. *Amiens : Le Nyctalope.*
Editions française et anglaise.

**1995.** Aperture USA Revue. (Dessins
et photos) Texte de John Berger. *Carnets
mexicains, 1934-1964.* Eric Hazan éditeur,
Paris. *L'Art sans l'art.*
Texte de Jean-Pierre Montier.
Editions Flammarion, Paris.

**1995.** *André Breton, roi soleil*, textes
et photos de Henri Cartier-Bresson,
Editions Fata Morgana.

**1996.** *L'imaginaire d'après nature*,
textes de Henri Cartier-Bresson,
Editions Fata Morgana, Edition
allemande Pixis.

**1997.** *Des Européens*, texte
de Jean Clair, Editions du Seuil,
(Editions anglaise, américaine,
allemande, italienne).

**1998.** *Tête à Tête*, texte
de Ernst H. Gombrich,
Edition Thames & Hudson, (Editions
française, américaine, allemande).
*Photo* n° spécial 90 ans, mai 98, n° 349.

### Thèses de doctorat

**1988.** Lee Kyong Hong.
*Essai d'esthétique : l'instant dans
l'image photographique selon
la conception d' Henri Cartier-Bresson.*
Thèse de nouveau doctorat
en philosophie. Sous la direction
d'Olivier Revault d'Allonnes.
Université de Paris I, Panthéon,
Sorbonne (510 p.).

**1993.** Jean-Pierre Montier. *Recherches
sur l'esthétique photographique :
à propos d'Henri Cartier-Bresson.*
Thèse de doctorat d'Etat soutenue
à l'Université d'Aix-en-Provence,
(3 tomes).

### Lithographies

**1992.** *Comme aller loin dans
les pierres.* Lithographies par
Henri Cartier-Bresson. Texte
de Yves Bonnefoy, Crest : La Sétérée,
Jacques Clerc. (7 lithographies,
125 exemplaires numérotés).

**1994.** *Le Paysan de Paris*, Aragon.
Lithographies par Henri Cartier-Bresson.
Limited Edition Club, New York.
(7 lithographies, 1 photographie,
300 exemplaires numérotés.)

**1998.** *The prints of Henri Cartier-Bresson*,
Print Quaterly n° XV,
texte de James Hyman.

## PRINCIPALES EXPOSITIONS DE PHOTOGRAPHIES

**1932.** Première exposition à la galerie Julien Levy à New York et au cercle Atheneo à Madrid.

**1934.** Exposition avec Manuel Alvarez Bravo au Palacio de Bellas Artes Mexico.

**1947.** Exposition "posthume" au Museum of Modern Art, New York (300 photographies).

**1952.** Exposition à l'Institute of Contemporary Arts, Londres.

**1953.** Exposition à Florence.

**1955.** Exposition de 400 photographies au musée des Arts décoratifs à Paris. Cette exposition, présentée par Robert Delpire, circule ensuite dans différents musées d'Europe, aux Etats-Unis, au Canada, au Japon.

**1964.** Exposition à la Philipps Collection, Washington.

**1965.** Deuxième rétrospective présentée d'abord à Tokyo puis au musée des Arts décoratifs à Paris (1966-1967). Cette exposition va ensuite à New York (1968), à Londres (1969), à Amsterdam, à Rome, Villa Médicis, à Zürich, Leverkusen, Hambourg, Brême, Munich, Milan, Cologne et Aspen.

**1970.** Exposition *En France* au Grand Palais à Paris. Cette exposition circule à travers la France jusqu'en 1976. Présentée ensuite aux Etats-Unis (1970), en U.R.S.S. au Manège à Moscou (1972), en Yougoslavie (1973), en Australie et au Japon (1974).

**1974.** Exposition sur la Russie (1953-1974) à l'International Center of Photography de New York.

**1980.** *Portraits,* galerie Eric Franck, Genève.

**1981.** En collaboration avec l'International Center of Photography de New York et American Express, présentation d'une exposition rétrospective, réalisée par Robert Delpire

au musée d'Art moderne de la Ville de Paris, qui circule depuis dans les principaux musées du monde.

**1984-85.** *Paris à vue d'oeil,* 133 photographies sur Paris. Exposition itinérante sous les auspices de Paris Audiovisuel et l'Association des Amis du Musée Carnavalet, Paris.

**1985.** Exposition *Henri Cartier-Bresson en Inde,* Centre National de la Photographie, Palais de Tokyo, Paris.

**1987.** Exposition *Early Photograph,* Museum of Modern Art, New York.

**1988.** Hommage à Henri Cartier-Bresson, 40 photographies commentées par 40 personnalités internationales, Centre National de la Photographie, Palais de Tokyo, Paris.

**1989.** Printemps Ginza, Tokyo.

**1991.** Osaka University of Arts.

**1992.** *L'Amérique,* FNAC, Paris.

**1994.** *A propos de Paris,* Hambourg, Allemagne.
*Hommage à Henri Cartier-Bresson,* ICP, New York.

**1997.** *Des Européens,* Maison Européenne de la Photographie, Paris.

**1998.** *Des Européens,* Hayward Gallery, Londres, Le Botanique, Bruxelles, Fondazione It Òaliana per la Fotografia, Palerme, Turin, Der Kunstverein, Dusseldorf.

**1998.** *Tête à Tête,* National Portrait Gallery, Londres.

**1998.** *Elsewhere,* Victoria & Albert Museum, Londres.

## PRINCIPALES EXPOSITIONS DE DESSINS

**1975.** Première exposition à la Carlton Gallery, New York.

**1981.** Exposition au musée d'Art moderne de la Ville de Paris.

**1982.** Exposition au museo d'Arte moderno de Mexico.

**1983.** Exposition à l'Institut français de Stockholm. Tor Vergata University, Rome et Pavillon d'Art contemporain, Milan.

**1984.** Musée d'Art moderne, Oxford. (Dessins et photographies).

**1985.** Palais Liechtenstein, Vienne. Salzburger Landessammlung. Institut Français d'Athènes.

**1986.** Mannheimer Kunstverein, Mannheim. (Dessins et photographies).

**1987.** Galerie Arnold Hernstand, New York.

**1989.** Chapelle de l'Ecole des Beaux Arts, Paris, Printemps Ginza, Tokyo. (Dessins et photographies) Fondation Pierre Gianadda, Martigny, Suisse. (Dessins et photographies).

**1990.** Villa Médicis, Rome. (Dessins et photographies).

**1991.** Taipei Fine Arts Museum, Taiwan. (Dessins et photographies).

**1992.** Musée de Noyers-sur-Serein. Palazzo San Vitale, Parme, Italie. Centro de Exposiciones, Saragosse et Logrono, Espagne.

**1993.** Arles : *Photo Dessin-Dessin Photo* Livret, Editions Actes-Sud.

**1994.** Dessins et premières photos *La Caridad*, Barcelone, Espagne.

**1995.** Dessins et Hommage à Henri Cartier-Bresson. CRAC Valence, Drôme, France.

**1996.** *Henri Cartier-Bresson: Pen, Brush and Cameras*, The Minneapolis

Institute of Arts, Minnéapolis, USA, préface du catalogue Evan Maurer.

**1996.** *Drawings*, Berggruen and Zevi Gallery, Londres, préface du catalogue James Lord.

**1997.** *Henri Cartier-Bresson : plume, pinceau et pellicule*, musée des Beaux Arts, Montréal, Canada.

**1997.** *Henri Cartier-Bresson, dessins 1974-1997*, galerie Claude Bernard, Paris, texte du catalogue Jean Leymarie.

**1998.** *Henri Cartier-Bresson : Pen, Brush and Cameras*, Museum of Contemporary Art, Kyoto, Japon.

**1998.** *Line by Line*, Royal College of Art, Londres ; Kunsthaus, Zurich, Suisse.

**1998.** *Dessins-Photos*, Galerie Beyeler, Bâle, Suisse.

# FILMS

Second assistant metteur en scène
de Jean Renoir en 1936 pour *La vie est
à nous* et *Une partie de campagne*,
en 1939 pour *La Règle du Jeu*.

Henri Cartier-Bresson réalise :

**1937.** *Victoire de la vie*. Documentaire
sur les hôpitaux de l'Espagne
républicaine, avec l'opérateur
Jacques Lamare.

**1944-45.** *Le Retour*. Documentaire
sur le retour des prisonniers de guerre
et des déportés, produit par l'OWI
et le ministère des Prisonniers, réalisé
avec la Lt Banks, le Cne Krimsky
et la productrice Norma Ratner.

**1969-70.** Deux documentaires pour CBS
News : *Impressions of California*
avec l'opérateur Jean Boffety.
*Southern Exposures* avec l'opérateur
Walter Dombrow.

**Films réalisés au banc-titre sur les
photographies d'Henri Cartier-Bresson.**

**1963.** *Midlands at Play and at Work*.
Pour ABC Television, Londres.

**1963-1964.** Cinq films d'un quart d'heure
sur l'Allemagne pour la Süddeutscher
Rundfunk, Munich.

**1964.** *Québec* pour la Canadian
Film Board.

**1967.** *Flagrants délits*. Un film réalisé par
Robert Delpire. Musique originale de
Diego Masson. Delpire production, Paris.

**1970.** *Images de France*. Film
de Liliane de Kermadec pour l'O.R.T.F.
Unité trois production.

**1991.** *Contre l'oubli : Lettre à Mamadou
Bâ, Mauritanie*. Court métrage réalisé
par Martine Franck pour Amnesty
International. Montage par Roger Ikhlef.

**1994.** *H.C.B. Point d'interrogation ?*
Un film réalisé par Sarah Moon, Take
Five Production. Version française
et anglaise.

*Contacts*, film au banc-titre,
Robert Delpire, Centre National
de la Photographie, Paris.

**1997.** Entretien avec Laure Adler,
France 2, 40 mn.

**1998.** Patricia Wheatley, BBC, 50 mn.

## Enregistrement

*Henri Cartier-Bresson : Le bon plaisir.*
FNAC/France Culture, Paris, 1991.
(Quatre heures et demie d'entretiens.
Produit par Véra Feyder pour France
Culture. Compact disc.)

La liste des livres, films et expositions
présentée ici n'est pas exhaustive.
En particulier, nous n'avons fait
mention que des éditions d'origine.

# PHOTO POCHE

## PHOTO POCHE SOCIETE

## PHOTO POCHE HISTOIRE

## PHOTO NOTES